Lili B
Brown

**Catalogage avant publication de Bibliothèque et
Archives nationales du Québec et Bibliothèque et Archives Canada**

Rippin, Sally
Lili B Brown-- joue à la coiffeuse
Traduction: The beautiful haircut.
Pour enfants de 6 ans et plus.
ISBN 978-2-7625-9107-1
I. Fukuoka, Aki. II. Rouleau, Geneviève, 1960-   . III. Titre.
PZ23.R56Lij 2011   j823'.914   C2010-942308-9

Titre original :
Billie B Brown joue à la coiffeuse
(The beautiful haircut)
publié avec la permission de Hardie Grant Egmont

Texte © 2010 Sally Rippin
Illustrations © 2010 Aki Fukuoka
Logo et concept © 2010 Hardie Grant Egmont
Le droit moral des auteurs est ici reconnu et exprimé.

Version française
© Les éditions Héritage inc. 2011
Traduction de Geneviève Rouleau
Conception et design de Stephanie Spartels
Illustrations de Aki Fukuoka

Nous reconnaissons l'aide financière du gouvernement du Canada
par l'entremise du Fonds du livre Canada (FLC) pour nos activités d'édition.

Nous reconnaissons l'aide financière du gouvernement du Québec par l'entremise
du Programme de crédit d'impôt pour l'édition de livres – SODEC.

Dépôts légaux : 1er trimestre 2011
Bibliothèque nationale du Québec
Bibliothèque nationale du Canada

ISBN : 978-2-7625-9107-1

Les éditions Héritage inc.
300, rue Arran, Saint-Lambert (Québec) J4R 1K5
Téléphone : 514 875-0327 — Télécopieur : 450 672-5448
Courriel : information@editionsheritage.com

Lili B Brown

joue à la coiffeuse

Texte : Sally Rippin

Illustrations : Aki Fukuoka

Traduction : Geneviève Rouleau

Chapitre un

Lili B Brown a trois

poupées aux cheveux longs,

douze barrettes brillantes

et un peigne rose.

Sais-tu ce que veut dire le

«B», dans «Lili B Brown»?

Belle.

Lili B Brown joue à la

coiffeuse, aujourd'hui.

Les coiffeuses embellissent

les gens. Thomas est le

meilleur ami de Lili.

Il habite la maison voisine.

Lili et Thomas jouent

ensemble tous les jours.

Boîte de barrettes brillantes

Trois poupées aux cheveux longs

Peigne rose

3

Si Thomas veut construire une cabane dans l'arbre, Lili va l'aider. Si Lili veut jouer au soccer, Thomas joue aussi. Mais Thomas ne veut pas jouer avec Lili, aujourd'hui.

«Tu ne veux pas que je te coiffe? Mais pourquoi? demande Lili. Je pourrais faire de toi le **PLUS** beau des meilleurs amis.»

«Non, merci», dit Thomas,

en faisant les gros yeux.

«Pourquoi pas? insiste Lili.

Je suis une grande coiffeuse.

Je peux embellir n'importe qui.

Cheveux courts ou cheveux

longs, filles ou garçons.»

Thomas fait la grimace.

«Je ne veux pas avoir l'air

du **PLUS** beau des meilleurs

amis, Lili, je veux avoir

l'air *cool*. Est-ce qu'on peut

choisir un autre jeu?»

«Non, je veux jouer à la

coiffeuse», répond Lili,

furieuse.

Si tu ne veux pas jouer avec

moi, va-t'en chez toi.»

Thomas regarde Lili droit
dans les yeux. Lili regarde
Thomas droit dans les yeux.
Puis, Thomas se lève et
sort de la chambre de Lili.

Lili regarde par la fenêtre

de sa chambre. Elle voit

Thomas qui sort du jardin.

Il y a un trou dans la clôture

qui sépare la maison de

Lili de celle de Thomas.

Thomas se glisse dans le

trou et court chez lui.

Lili est **TROP en colère.**

Elle et Thomas jouent
toujours ensemble! C'était au
tour de Lili de choisir le jeu
auquel ils allaient jouer.

Et elle a choisi le salon de
coiffure. Mais Thomas n'a pas
voulu que Lili le coiffe!

Lili sait que Thomas reviendra
bientôt. Ils ne sont jamais
fâchés bien longtemps l'un
envers l'autre.

De toute façon, Lili n'a pas le temps d'être **inquiète** au sujet de Thomas. Elle est coiffeuse et elle a beaucoup de clients !

Chapitre deux

Lili jette un coup d'œil vers ses poupées. Elles ont toutes les cheveux longs. «Je n'ai pas besoin de Thomas pour jouer à la coiffeuse, leur dit-elle. Vous êtes là! À qui le tour?»

Lili prend une poupée.

«Claudia! Regarde tes

cheveux. Quel désastre!

Je vais tout arranger!»

Quand la poupée Claudia

de Lili était neuve, elle avait

de beaux cheveux longs.

Maintenant, sa chevelure

ressemble à un hérisson jaune.

Quelle affaire d'entretenir

des cheveux longs!

Il faut les brosser souvent.

Cela peut devenir un

peu ennuyeux.

Lili met quelques barrettes
dans les cheveux de Claudia.
«Hum, c'est mieux!»
dit-elle. Claudia est **TRÈS**
belle. C'est au tour de
Tomoko. Elle a des cheveux
foncés, comme ceux de Lili.
Avant, Tomoko avait une
chevelure brillante et douce.
Mais un jour, Lili y a renversé
de la colle sans faire exprès.

Maintenant, un côté est doux

et l'autre est plein de nœuds.

Mais il ne faut pas s'en faire.

Lili est une **TRÈS** bonne

coiffeuse. Elle peut embellir

la chevelure de n'importe

qui. Elle met une barrette

dans les cheveux

de Tomoko.

Voilà, c'est

beaucoup mieux!

La dernière poupée que prend Lili s'appelait Barbara. Mais aujourd'hui, tout le monde l'appelle Mouffette. Ses longues boucles rousses tirent maintenant sur le vert. C'est que Lili a déjà oublié Mouffette dans le fond du jardin pendant trois semaines entières.

Mouffette est encore belle,

mais elle sent un peu

mauvais. Elle est **TROP**

jolie avec ses barrettes

brillantes dans les cheveux,

n'est-ce pas?

Les poupées sont de **TRÈS** bonnes clientes. Elles restent assises sans parler. *C'est bien mieux que Thomas*, pense Lili. Mais voilà qu'elle commence à s'ennuyer. Les vraies coiffeuses ne font pas que mettre des barrettes dans les cheveux.

Elles ne font pas que brosser,

peigner et lisser les cheveux.

Les vraies coiffeuses

coupent les cheveux.

Lili regarde ses petits ciseaux

mauves dans son étui à

crayons. Les ciseaux de Lili

coupent très bien le papier.

Elle espère qu'ils couperont

aussi les cheveux.

Lili installe Claudia sur
sa chaise de coiffeuse.
Elle tente de raccourcir
un peu les cheveux de
Claudia, mais sans succès.

Elle essaie avec Tomoko,

puis avec Mouffette.

Mais ça ne fonctionne pas.

Les ciseaux de Lili coupent

très bien le papier, mais pas

les cheveux! Comment

Lili peut-elle être coiffeuse

si elle ne peut même pas

couper les cheveux?

Puis, Lili a une idée.

Chapitre trois

Elle se rend dans la salle de bain. Elle ouvre le tiroir et voit une paire de ciseaux brillants. Lili sait qu'elle n'a pas la permission de toucher à ces ciseaux.

Mais ces ciseaux sont différents,
décide Lili. Ce ne sont
que de petits ciseaux.
Parfaits pour faire des coupes
de cheveux à ses poupées.
Lili pense qu'elle a
probablement le droit de
les utiliser. Elle les prend.

Lili espère qu'ils couperont mieux que ses petits ciseaux mauves. Ils semblent très bien aiguisés. Elle décide de les essayer.

Lili tient une de ses tresses
et donne un petit coup
de ciseaux. Oh, ils sont
très coupants! La tresse de
Lili tombe dans le lavabo!
Elle est là, comme une
petite souris au poil touffu.
Oh non! Lili se regarde
dans le miroir. Elle n'a
plus qu'une seule tresse.

Lili n'est pas plus jolie :

elle est **TROP** ridicule !

Elle ne peut pas rester

comme ça. Tout le monde

va rire d'elle ! Alors, Lili

coupe l'autre tresse aussi.

Maintenant, les deux côtés

de son visage sont pareils.

Et il y a deux petites

tresses dans le lavabo.

Lili est étonnée de voir à quel point il a été facile de les couper. Elle aimerait tant pouvoir remettre ses tresses là où elles étaient. Lili les aimait bien. Maintenant, elle n'en a plus! Lili regarde dans le miroir. Des larmes roulent sur ses joues. Pourquoi a-t-il fallu qu'elle trouve ces horribles ciseaux!

Elle regrette tellement ses
deux petites tresses!

Elle fixe du regard sa drôle
de tête et cesse de pleurer.

À ce moment-là, elle aperçoit
quelqu'un d'autre dans le
miroir. C'est Thomas!

«Lili! Qu'est-ce que tu as
fait?» lui demande-t-il.

Ses yeux sont ronds comme des balles de tennis.

« Tu as coupé tes tresses ! »

Lili tente de couvrir sa

chevelure avec ses mains.

« Ne le dis pas à maman !

supplie-t-elle. Sinon, je vais

avoir de gros ennuis. »

« Mais qu'est-ce que

tu vas faire ? lui demande

Thomas. Tu ne peux pas

cacher tes cheveux pour

toujours ! » « Je vais porter

un chapeau ! répond Lili.

Jusqu'à ce que mes tresses repoussent. » «Ne fais pas l'idiote, dit Thomas. Il faut que tu le dises à ta mère. Elle va savoir quoi faire.» Lili hoche la tête. Elle sait que Thomas a raison. Lili est **TROP nerveuse**. Mais Thomas est à côté d'elle, ce n'est pas si mal.

Ils avancent dans la cuisine

pour trouver la mère de Lili.

Chapitre quatre

La maman de Lili est assise à la table de cuisine, en train de lire le journal. Elle regarde Lili et Thomas entrer dans la pièce. «Oh, Lili! soupire-t-elle. Qu'est-ce que tu as fait?»

Lili grimace. Elle couvre ses yeux de ses mains. Puis, elle se met à pleurer.

«Je jouais à la coiffeuse»,
explique Lili, en poussant
de gros sanglots. La mère
de Lili se lève et la prend
dans ses bras. «Ma petite
étourdie», murmure-t-elle,
en caressant sa chevelure
étrange. «Tu n'es pas
fâchée?» demande Lili.
Elle regarde sa maman,
les yeux pleins d'eau.

«Bien oui, un peu, répond
la mère de Lili, en fronçant
les sourcils. Tu sais que
tu n'as pas le droit de
jouer avec des ciseaux!»

«Je sais, répond Lili, d'un
air triste. Je m'excuse.»

Puis, la maman de Lili
lui fait un grand sourire.

«Tu sais quoi? dit-elle.

Quand j'étais petite, j'ai
fait exactement la même
chose.» Elle fait une grosse
caresse à Lili. «Pour vrai?
demande Lili, surprise.
Tu as coupé tes tresses?»
«Ouais. Sauf que c'était
bien pire que toi, dit-elle,
en riant.

Mes cheveux tout ébouriffés

se dressaient sur ma tête!

Les tiens sont encore assez

longs. Mais je pense que nous

allons devoir rendre visite à

une vraie coiffeuse, hein?»

«Je m'ennuie de mes tresses»,

soupire Lili. «Ne t'en fais pas,

lui répond sa mère.

Sophie va te faire une belle coupe de cheveux.

Elle peut embellir n'importe qui !» «Est-ce qu'elle peut me donner un air *cool* ?» demande Thomas.

«Et comment !»

«Super ! dit-il. Je vais demander à ma mère si je peux me faire couper les cheveux aussi !»

«Allons-y, alors!» dit la mère de Lili. Lili fait une grosse caresse à sa maman. *Thomas avait raison*, pense-t-elle. *Maman savait quoi faire.*